Título original: *L'oeuf d'Hérisson*

Copyright © 2012 Texto e ilustraciones por Nozomi Takahashi y Lirabelle
La edición original fue publicada en Francia por Lirabelle
Traducción del francés: María Teresa Rivas
Diagramación: Editor Service, S.L.

Primera edición del castellano para todo el mundo © 2014
Primera reimpresión © marzo 2016
Tramuntana Editorial – c/ Cuenca, 35 – 17220 Sant Feliu de Guíxols (Girona)
www.tramuntanaeditorial.com

ISBN: 978-84-941662-6-6
Depósito legal: GI 385-2016 – Impreso en ANMAN Gràfiques del Vallès

El huevo del erizo

Nozomi Takahashi

Tramuntana

¡Buenos días, pata! ¿Qué estás haciendo?

Yo también quiero un huevo.

Este huevo es para mí,
¡Seguro!

¿Qué estás haciendo, amigo?

-Estoy incubando mi huevo.

Lo protejo de la lluvia,

de los rayos del sol

y le canto canciones de cuna.

¡Espero que pronto eclosionará!

¡Pero no es un huevo!
Aún cuidándolo con tanto esmero,
no va a eclosionar.

-¡Os digo que sí!

Al día siguiente,
hacía mucho viento.

Tengo que proteger a mi huevo.

¿Pero dónde está?

¡Oh... mi huevo!

¡Ouinnn!

¡Mi huevo se ha roto!

Entonces…

¡Mirad!
¡Mi huevo ha eclosionado!
¡Mirad como se parece a mí!
Ya os lo dije....